# Le miroir des Alices

#2 JUSQU'AU BOUT DE MON RÊVE...

SATCHY
VERSION 3.0

Scénario, dessin & couleurs
KARA

BABEL

À L'IMAGE DE CETTE CONTRÉE INTERDITE, ELLE EST LE SYMBOLE DE L'ORGUEIL DE L'HOMME. SYMBOLE DE LA COLÈRE DE DIEU SUR CEUX QUI ONT OSÉ VOULOIR ATTEINDRE LES CIEUX... COLÈRE CONTRE LES MORTELS QUI ONT OSÉ VOLER UNE DIVINITÉ INTERDITE.

LA LITTÉRATURE POPULAIRE DE LA FIN DU VINGTIÈME SIÈCLE A TOUJOURS RÉSERVÉ UNE PLACE DE CHOIX AU MYTHE DU SUPER HÉROS. DES SURHOMMES CONSIDÉRANT SOUVENT LEURS CAPACITÉS HORS NORMES COMME UNE MALÉDICTION. DES HÉROS N'ASPIRANT FINALEMENT QU'À UNE VIE TRANQUILLE ET "NORMALE"...

AUTREMENT DIT, DE TOUT TEMPS, VOULOIR TRANSCENDER LES LIMITES HUMAINES IMPOSÉES PAR DIEU, EST CONSIDÉRÉ COMME UN PÉCHÉ... L'HOMME DOIT RESTER À LA PLACE QUI LUI EST ASSIGNÉE ET RESTER FIDÈLE À SON "KARMA"...

9

IL VA FALLOIR EMPLOYER LES GRANDS MOYENS, PETITE SŒUR... AS-TU PU IDENTIFIER NOTRE FUGITIVE ?

OÙ TE CACHES-TU, "ÈVE" ?

"YAHVÉ DIEU PRIT L'HOMME ET L'ÉTABLIT DANS LE JARDIN DE L'ÉDEN POUR LE CULTIVER ET LE GARDER. ET YAHVÉ DIEU FIT À L'HOMME CE COMMANDEMENT : TU PEUX MANGER DE TOUS LES ARBRES DU JARDIN. MAIS DE L'ARBRE DE LA CONNAISSANCE DU BIEN ET DU MAL TU NE MANGERAS PAS CAR LE JOUR OÙ TU EN MANGERAS, TU DEVIENDRAS PASSIBLE DE MORT."

13

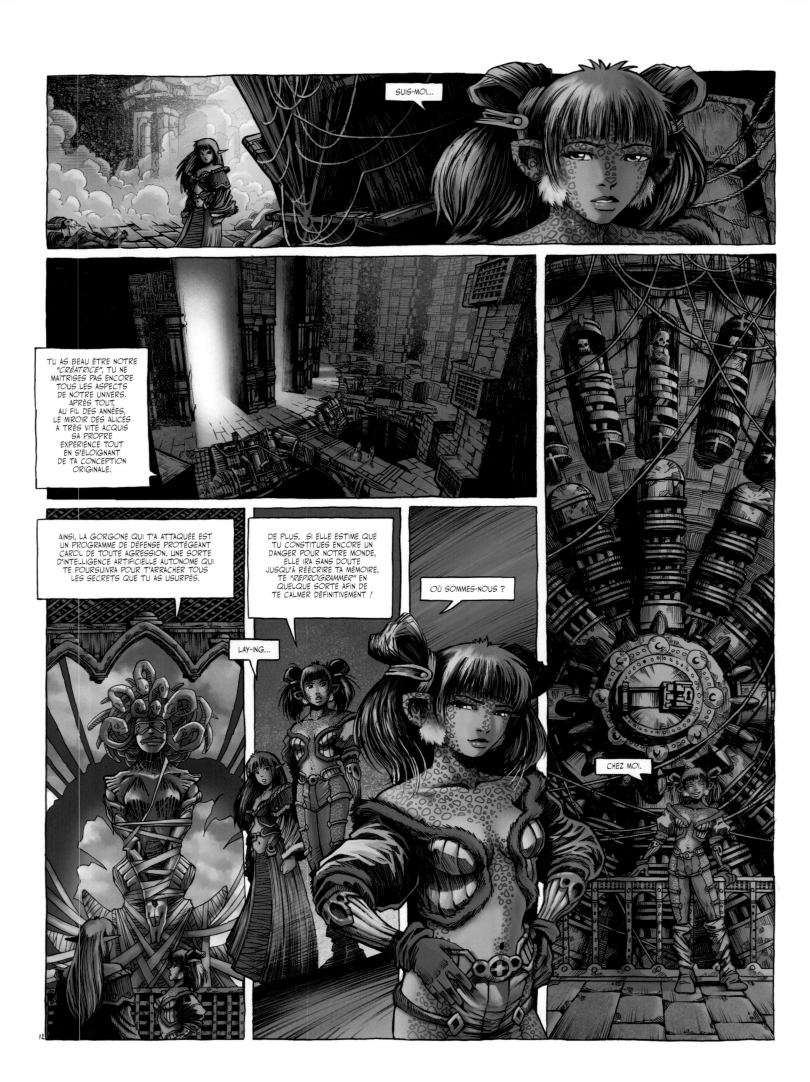

DIS-MOI, "PETITE PANDORE", POURQUOI VEUX-TU NOUS FUIR AU POINT DE RISQUER DE PERDRE L'ESPRIT... OU LA VIE ?

LA... LA VIE EST DEVENUE SI PÉNIBLE DANS LA RÉALITÉ POUR CERTAINS, QUE CEUX-CI PRÉFÈRENT INVENTER DES MONDES VIRTUELS OÙ TOUT PEUT ÊTRE PARAMÉTRÉ À VOLONTÉ ! L'ACCOMPLISSEMENT DE CES RÊVES LES PLUS FOUS N'EST PAS UNE FIN EN SOI POUR MOI !

JE... JE N'EN PEUX PLUS DE VIVRE DANS UN MONDE OÙ L'ACCOMPLISSEMENT D'UNE TÂCHE SE FAIT SANS MÉRITE, FIERTÉ OU EFFORTS ET OÙ LA MORT ELLE-MÊME EST UN JEU ! QUE NOUS RESTE-T-IL UNE FOIS NOS RÊVES RÉALISÉS ? RIEN, LE NÉANT ! ET CE GOÛT AMER DANS LA BOUCHE EN SACHANT QUE TOUT CECI N'EST QU'UNE MASCARADE VIRTUELLE QUI N'AURA AUCUNE RÉELLE CONSÉQUENCE BONNE OU MAUVAISE SUR LE MONDE RÉEL ! JE... JE NE VEUX PLUS FUIR LA RÉALITÉ !

"NOS MÉRITES SONT LA CONSÉQUENCE DE NOS ACTES, QU'ILS SOIENT RÉELS OU VIRTUELS. QUE CELA SOIT LA VÉRITABLE ALICE OU MOI-MÊME, NOUS NE MÉRITONS RIEN DE CE QUI EST ICI..."

TU TE RAPPELLES DE CES PAROLES ? CELLES PRONONCÉES PAR TONAVATAR AVANT QUE CELUI-CI NE SE SUICIDE ? QUE POUVAIENT-ELLES RÉELLEMENT SIGNIFIER ?

ET... ET ALORS ?

TU ES UNE MENTEUSE, ALICE... UNE SALE PETITE MENTEUSE DOUBLÉE D'UNE COMÉDIENNE MINABLE, PATHÉTIQUE ET ÉGOÏSTE !

TU T'OBSTINES À ME CACHER LA VÉRITABLE RAISON DE TA FUITE EN ME SORTANT UN DISCOURS PITOYABLE ET MORALISATEUR !

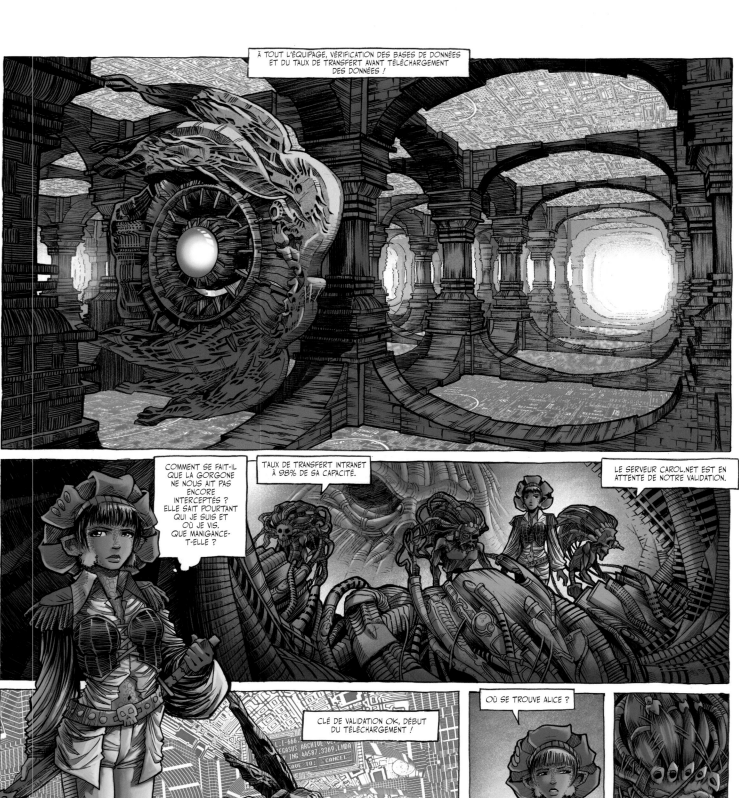

À TOUT L'ÉQUIPAGE, VÉRIFICATION DES BASES DE DONNÉES ET DU TAUX DE TRANSFERT AVANT TÉLÉCHARGEMENT DES DONNÉES !

COMMENT SE FAIT-IL QUE LA GORGONE NE NOUS AIT PAS ENCORE INTERCEPTÉS ? ELLE SAIT POURTANT QUI JE SUIS ET OÙ JE VIS. QUE MANIGANCE-T-ELLE ?

TAUX DE TRANSFERT INTRANET À 98% DE SA CAPACITÉ.

LE SERVEUR CAROL.NET EST EN ATTENTE DE NOTRE VALIDATION.

CLÉ DE VALIDATION OK, DÉBUT DU TÉLÉCHARGEMENT !

OÙ SE TROUVE ALICE ?

IL EST TROP TARD POUR RÉFLÉCHIR MAINTENANT AUX CONSÉQUENCES DE NOS ACTES... JE NE PEUX LAISSER CETTE PETITE TÊTE BRÛLÉE SEULE DANS SA QUÊTE INSENSÉE.

ELLE SE CHANGE DANS LE SALON DU CHÂTEAU ARRIÈRE DE NOTRE NAVIRE. VOTRE SECOND INVITÉ EST SUR LE POINT DE LA REJOINDRE...

BENTEN ?

DÉSOLÉ DU RETARD. JE DEVAIS INFORMER LE CONSEIL DE NOTRE PETITE ESCAPADE. ILS SONT D'ACCORD POUR NE PAS METTRE AU COURANT LA POPULATION DE TES DÉBOIRES.

QUE... QUE FAIS-TU ICI ? J'AI DÉJÀ ENTRAÎNÉ LAY-ING DANS CETTE FOLIE. M'AIDER NE VOUS APPORTERA QUE DES ENNUIS !

ET MÊME SI JE RÉUSSIS, QUE DEVIENDREZ-VOUS ?

C'EST UN PEU TARD POUR LES REGRETS, NON ? JE TE L'AI DIT ALICE, TU AURAIS DÛ TE CONFIER À NOUS DÈS LE DÉPART.

MALGRÉ TON ÂGE VÉRITABLE, IL SEMBLE QUE LE CONCEPT MÊME DE L'AMITIÉ T'ÉCHAPPE ENCORE QUELQUE PEU...

... OÙ EST PASSÉE L'ARROGANTE ALICE QUI M'A MIS AU TAPIS QUELQUES JOURS AUPARAVANT ? REPRENDS-TOI...

CETTE ALICE N'A JAMAIS EXISTÉ ! ELLE N'EST QU'UNE ARMURE, UN RÔLE DE CLOWN TRISTE ET DÉSUET...

19

21

ALICE... JE TE LE RÉPÈTE :
NOUS NE POURRONS T'AIDER
QUE SI TU NOUS EN DIS PLUS.

QUI ES-TU ? OU PLUTÔT...
QUI ÉTAIS-TU AVANT DE VENIR ICI ?

QUI J'ÉTAIS ?

D'AUSSI LOIN QUE REMONTENT MES SOUVENIRS D'ENFANCE, J'AI TOUJOURS AIMÉ L'ÉCRITURE. J'ADORAIS
RACONTER DES HISTOIRES DANS LESQUELLES JE POUVAIS M'ÉVADER. LES ANNÉES PASSANT, J'AI RÉALISÉ
QUE CELA ÉTAIT DEVENU NON PAS UNE PASSION, MAIS UNE ÉVIDENCE : L'ÉCRITURE ÉTAIT MA VIE !

ET, COMME TOUT JEUNE AUTEUR SE PROJETANT DANS SES RÉCITS, J'AI COMPRIS QU'EN FAIT, JE DONNAIS
EN PÂTURE AU REGARD DE TOUS, MES PROPRES SENTIMENTS, MES JOIES, MES ESPOIRS... MAIS AUSSI MES
PROPRES FRUSTRATIONS ET MES REGRETS. AINSI, LOIN DE ME *"LIBÉRER"*, MA PASSION EST ALORS DEVENUE
MON CAUCHEMAR. CHAQUE JOUR PASSANT ÉTAIT UNE TORTURE POUR MON ESPRIT. ET LE FAIT QUE MES ROMANS
SOIENT DE SIMPLES *"SUCCÈS D'ESTIME"*, COMME ON LE DIT POLIMENT DANS LA PROFESSION, N'ARRANGEAIT RIEN.

FINALEMENT, JE NE ME SUIS JAMAIS CONSIDÉRÉE COMME UNE "ARTISTE", MAIS MON MÉTIER IMPLIQUAIT UN CHOIX DE VIE SOCIAL ET ÉTHIQUE QUE JE N'AI JAMAIS SU ASSUMER COMPLÈTEMENT. AU-DELÀ DE MON SACERDOCE, JE VOULAIS TOUT SIMPLEMENT AFFIRMER MA SOI-DISANT DIFFÉRENCE.

J'ÉTAIS DE CELLE QUE LA SOCIÉTÉ CULPABILISE DE VOULOIR FUIR LES ENNUIS ET LES DOGMES EN S'ENFERMANT DANS SES RÊVES, MAIS SURTOUT D'AVOIR LA PRÉTENTION DE SURMONTER CES MÊMES DIFFICULTÉS DE LA VIE QUE NOUS AVONS NOUS-MÊMES CRÉÉES ET BANALISÉES. AJOUTE À CELA UN CONTEXTE SOCIAL, VOIR RELIGIEUX, OÙ TOUTE NOTION DE PLAISIR N'EST PAS UN DÛ, MAIS UN MÉRITE PARADOXALEMENT ASSOCIÉ À UNE NOTION DE CULPABILITÉ...

ON NOUS SUGGÈRE UN MODÈLE DE VIE QUI TEND VERS UN IDÉAL NORMALISÉ, RASSURANT, ET MAÎTRISABLE PAR N'IMPORTE QUEL ORGANISME SOCIAL, RELIGIEUX OU POLITIQUE... UNE SORTE DE CONDUITE MORALE ET ÉTHIQUE BASÉE SUR UN SYSTÈME DE PENSÉE QUASI MANICHÉEN, DONC DIFFICILEMENT APPLICABLE SUR LE PLAN HUMAIN ET DONT LES BASES PROFONDES NE NOUS SONT QUE RAREMENT EXPLIQUÉES. LE TOUT S'INSÉRANT DANS UN SYSTÈME QUI NOUS DÉCOURAGE DE LE REMETTRE EN QUESTION, MÊME PARTIELLEMENT, SOUS PEINE DE LE VOIR S'ÉCROULER TOTALEMENT.

IL M'ÉTAIT ALORS PLUS FACILE DE METTRE LA RESPONSABILITÉ DE MES ÉCHECS ET DE MES FAIBLESSES SUR LE DOS DE CETTE FAMEUSE SOCIÉTÉ... MAIS LA SOCIÉTÉ NOUS DONNE-T-ELLE ENVIE D'ÊTRE DES ADULTES "RESPONSABLES", VU CE QUE LES ADULTES FONT DE NOTRE MONDE ? CEPENDANT, MA FAMILLE M'A SOUTENUE DANS LA POURSUITE DE MES RÊVES, SANS QUE JE SACHE, HÉLAS, LEUR RENDRE LA PAREILLE, OU PIRE, RÉDUIRE PARFOIS À NÉANT LEURS PROPRES ESPOIRS.

TU N'AS JAMAIS ÉTÉ CAPABLE D'ÊTRE TOUT SIMPLEMENT HEUREUSE, ALICE ?

TU PENSES QUE JE ME POSE TROP DE QUESTIONS ?

EH BIEN...

24

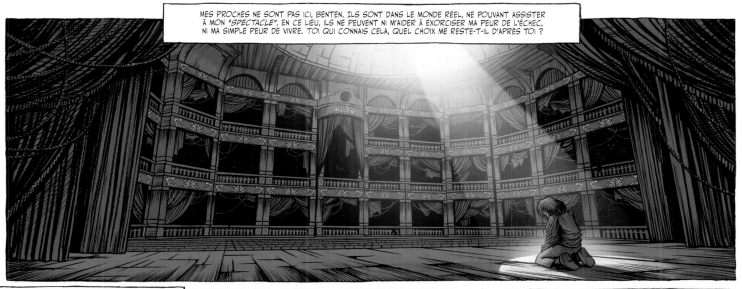

MES PROCHES NE SONT PAS ICI, BENTEN. ILS SONT DANS LE MONDE RÉEL, NE POUVANT ASSISTER À MON *"SPECTACLE"*. EN CE LIEU, ILS NE PEUVENT NI M'AIDER À EXORCISER MA PEUR DE L'ÉCHEC, NI MA SIMPLE PEUR DE VIVRE. TOI QUI CONNAIS CELA, QUEL CHOIX ME RESTE-T-IL D'APRÈS TOI ?

ALICE, TU NE PENSES TOUT DE MÊME PAS À...

*"LA PERSONNE À QUI L'ON MENT LE PLUS FACILEMENT EST D'ABORD SOI-MÊME."*

ET NOUS SOMMES DES MILLIONS À LE FAIRE CHAQUE JOUR QUI PASSE...

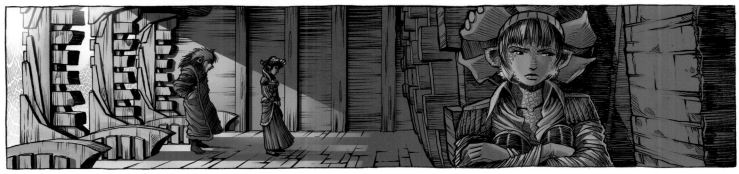

FIN DU TÉLÉCHARGEMENT. DÉCOMPRESSION DES DONNÉES EN COURS DANS LA BASE DE DONNÉES CIBLE.

JE NE M'ATTENDAIS PAS À CELA.

EST-CE UNE FRONTIÈRE "RÉELLE", OU BIEN UNE INTERFACE 3D D'UN FIREWALL PROTÉGEANT LE MIROIR DE LA REINE ?

JE NE SUIS PAS SÛRE. CEPENDANT, IL... HEIN ?

NOUS NE SOMMES PAS SEULS ! REGARDEZ SUR LES CONTREFORTS !

QUI SONT-ILS ? ILS SEMBLENT "DESSINER" UNE À UNE LES PIERRES DE CE MUR INFINI... MAIS DANS QUEL BUT ?

BIENVENUE, VOYAGEURS !

BIENVENUE AU PURGATOIRE DU MIROIR DES ALICES OÙ LES FOUS SONT TOUS À LA DROITE DE DIEU ! OU PLUTÔT À LA DROITE DE NOTRE DÉESSE CAROL, DEVRAIS-JE DIRE ! NE FAITES PAS CETTE TÊTE, VOYONS ! LES VISITEURS SONT SI RARES ICI !

MESDEMOISELLES ET MONSIEUR, LAISSEZ-MOI ME PRÉSENTER : MON INDICATIF D'IDENTIFICATION EST "CHAPELIER". JE SUIS UNE INTELLIGENCE ARTIFICIELLE PROGRAMMÉE AFIN DE VEILLER SUR CES INFORTUNÉS FORTUNÉS ! QUOIQUE, LEURS RICHESSES DU MONDE RÉEL NE PEUVENT PLUS GRAND-CHOSE POUR EUX ICI...!

PAR ICI LA VISITE !

CE LIEU ACCUEILLE LES PATIENTS N'AYANT PU S'ADAPTER À NOTRE MONDE ET AYANT SOMBRÉ DANS LA FOLIE. MAIS IL ACCUEILLE SURTOUT LES MALADES DONT L'ÉTAT MENTAL AU MOMENT DE LEUR ENTRÉE DANS LE MIROIR À ÉTÉ HÉLAS DÉFINITIVEMENT ALTÉRÉ PAR LEUR COMA.

CERTAINS RESTERONT ALORS DES LÉGUMES DOCILES, TOUT AU MIEUX DES MARIONNETTES DÉSHUMANISÉES JUSQU'À LA FIN DE LEURS JOURS. MIS À PART VOTRE SERVITEUR, VOUS REMARQUEREZ QU'ICI NI ELFES, OU AUTRES ÊTRES HYBRIDES NE PEUPLENT CE LIEU !

CES MALHEUREUX NE CONTRÔLANT PAS LEUR RÉALITÉ, CAROL LEUR DONNE UNE IDENTIFICATION 3D PAR DÉFAUT, À SAVOIR LEUR EXACTE APPARENCE DANS LE MONDE RÉEL ! SELON LEUR ÂGE, ELLE CALCULE NUMÉRIQUEMENT LEUR VIEILLISSEMENT AU FUR ET À MESURE DES ANNÉES QUI PASSENT ET L'APPLIQUE AUTOMATIQUEMENT À LEUR APPARENCE PHYSIQUE...

ÉTAIS-TU AU COURANT QU'UN TEL ENDROIT PUISSE EXISTER ICI ?

25

27

DÉSOLÉ, MAIS JE NE CONNAIS PAS VOTRE "COMPAGNON". PAR CONTRE, JE PEUX VOUS PARLER DE THIMOTY. CE PAUVRE GARÇON FIT DANS LE MONDE RÉEL, UNE TENTATIVE DE SUICIDE MANQUÉE. PLONGÉ DANS UN COMA JUGÉ IRRÉVERSIBLE, LES MÉDECINS DÉCIDÈRENT DE L'ENVOYER DANS LE MIROIR DES ALICES. ARRIVÉ EN CES LIEUX IL Y A ENVIRON DEUX ANS, THIMOTHY N'A HÉLAS JAMAIS RÉUSSI À SORTIR DE SON ÉTAT SECOND. IL N'EST PLUS QU'UNE COQUILLE VIDE DÉAMBULANT AUX FRONTIÈRES DU MIROIR.

NÉANMOINS, À SON ARRIVÉE DANS NOTRE MONDE, LES INSTRUCTIONS DE LA MÈRE DE CE GARÇON FURENT FORMELLES : ELLE SAVAIT QUE SON MARI, RÉSIDANT EN NOTRE MONDE DEPUIS 4 ANS, ÉTAIT GUÉRI ET QUE CELUI-CI POUVAIT DÉSORMAIS QUITTER NOTRE MONDE VIRTUEL ! SON REFUS DE REVENIR À LA RÉALITÉ FUT CONSIDÉRÉ PAR SON ÉPOUSE COMME UNE TRAHISON !

IL Y A TROIS ANS, ELLE DÉCIDA DE RETIRER LA GARDE DE SON ENFANT AU PÈRE. IL LUI ÉTAIT DÉSORMAIS STRICTEMENT INTERDIT D'OBTENIR LA MOINDRE INFORMATION LE CONCERNANT, QUOI QU'IL LUI ARRIVE ! MAIS D'APRÈS CE QUE JE VOIS, LE HASARD VIENT DE RÉUNIR LE PÈRE ET LE FILS DE BIEN ÉTRANGE FAÇON...

FINALEMENT, CE SUICIDE N'ÉTAIT-IL PAS UNE TENTATIVE DÉSESPÉRÉE DE THIMOTHY POUR REJOINDRE SON PÈRE DANS NOTRE MONDE ? J'AI BIEN PEUR, JEUNES FILLES, QUE NOUS NE LE SACHIONS JAMAIS...

"ON NE S'APERÇOIT DE CE QUE L'ON A QU'AU MOMENT OÙ ON LE PERD..."

RBROOMM!!!

LA PORTE EST INTACTE !!!

MAIS ALORS, OÙ EST LA GORGONE ?!

CHTOC!

JE SUIS CAROL...

LAY-ING... CAROL ? T... TU ES L'ORDINATEUR QUI CONTRÔLE CE MONDE ?

CAROL... TU ES VIVANTE.

RESTE OÙ TU ES, GARDIENNE ! CETTE FOIS, JE NE JOUE PLUS. PRENDS GARDE QUE CETTE COMÉDIE NE VIRE PAS À LA TRAGÉDIE POUR TOI !

QUE VEUX-TU ALICE ? AFFRONTER LA GORGONE OU RISQUER LA FOLIE, VOIRE LA MORT EN FRANCHISSANT LE MIROIR ? À MOINS DE REMETTRE TA VIE ENTRE MES MAINS, C'EST TON ULTIME CHANCE DE RÉPARER TES ERREURS...

MES ERREURS ? T... TOUTE MA VIE, J'AI COMMIS DES ERREURS IRRÉPARABLES DONT LES RÉPERCUSSIONS SE SONT TRANSFORMÉES AU FIL DU TEMPS EN REMORDS INSUPPORTABLES !

36

JE VEUX JUSTE ÊTRE HEUREUSE, LAY... CAROL ! TOUS CES SECRETS, CETTE AIGREUR, JAMAIS JE N'AI OSÉ LES PARTAGER DE PEUR D'ÊTRE INCOMPRISE OU MÊME JUGÉE !

ALORS, QUE CHERCHES-TU ?

POURTANT, TU AVAIS COMMENCÉ À TE CONFIER À BENTEN LORS DE NOTRE VOYAGE...

COMMENT SAIS-T... ?

PEU IMPORTE ! CE QUE J'AI RÉVÉLÉ À BENTEN N'EST QUE LA PARTIE IMMERGÉE DE L'ICEBERG ! JE TE L'AI DIT : JE NE LIVRE PAS FACILEMENT TOUS LES TOURMENTS DE MON CŒUR DE PEUR DE RÉVÉLER DES FACETTES DE MA VIE, DES SALOPERIES QUE J'AI COMMISES, DE MES ANGOISSES, QUI PUISSENT ME FAIRE REJETER PAR MES PROCHES DANS LA RÉALITÉ OU MES AMIS ICI. MAIS TOUT GARDER POUR MOI SEULE EST UN FARDEAU M'OPPRESSANT CHAQUE JOUR DAVANTAGE !

C'EST DONC CELA QUE TU CHERCHES ? UN PARDON, DE LA COMPASSION, VOIRE MÊME... UNE RÉDEMPTION ?

DANS LE MONDE RÉEL, DEUX JOURS AVANT LE SÉISME QUI PROVOQUA MON ARRIVÉE ICI, J'AVAIS DÉCIDÉ DE RÉVÉLER À MES PROCHES MES REGRETS, MES FRUSTRATIONS, AINSI QUE TOUTES MES ERREURS QUE JE N'AI PU RÉPARER. MAIS PARTAGER MON MAL-ÊTRE N'ÉTAIT-IL PAS ÉGOÏSTE ET INDÉCENT ? POUVAIS-JE RISQUER DE BLESSER MON ENTOURAGE EN RÉVÉLANT CE QU'ILS N'ONT SU DÉCELER EN MOI, ET QUE JE NE PEUX ME PARDONNER MOI-MÊME ?

MAIS LE DESTIN A CHOISI POUR MOI ! ECHOUÉE DANS LE MIROIR DES ALICES, ENTOURÉE PAR UNE FOULE ANONYME, J'AI DÛ À NOUVEAU ENFOUIR EN MOI TOUS MES SECRETS ET MES SOUFFRANCES. VOUS ÊTES MES AMIS. MAIS DES AMIS NE REMPLACENT PAS UNE FAMILLE. VOILÀ POURQUOI JE VEUX REVENIR DANS LA RÉALITÉ, LAY-ING ! APRÈS LE TREMBLEMENT DE TERRE, JE FUS LE SEUL MEMBRE DE MA FAMILLE À ÊTRE ENVOYÉ DANS CE MONDE. IL Y A DONC DE GRANDES CHANCES POUR QUE TOUS MES PROCHES SE TROUVANT LOIN DU LIEU DE LA CATASTROPHE SOIENT ENCORE VIVANTS ET M'ATTENDENT !

37

JE NE SAIS PAS QUELLE SERA LEUR RÉACTION. L'INCOMPRÉHENSION, LA COLÈRE, LA COMPASSION, PEUT-ÊTRE MÊME UNE DISCORDE DONT JE SERAI LA SEULE RESPONSABLE... MAIS JE NE VEUX PLUS ME SACRIFIER. OU ALORS...

... OU ALORS, ALICE, C'EST PEUT-ÊTRE LA MORT QUE TU RECHERCHES INCONSCIEMMENT EN VOULANT TRAVERSER LE MIROIR. TU DEMANDES DONC AU HASARD DE CHOISIR À TA PLACE, AFIN DE NE PAS ENDOSSER LA RESPONSABILITÉ D'UN CHOIX QUE TU NE VEUX ASSUMER !

MAIS NOS RESPONSABILITÉS FORGENT NOTRE PERSONNALITÉ. ELLES NE NOUS RENDENT PAS FORCÉMENT PLUS MATURES OU MEILLEURS, ALICE, MAIS ELLES NOUS AIDENT À NOUS ACCEPTER TELS QUE NOUS SOMMES. TE LIVRER À TES PROCHES LIBÉRERA PEUT-ÊTRE TA CONSCIENCE, MAIS À QUEL PRIX ?

PERSONNE NE SAIT CE QUI T'ATTEND DANS LA RÉALITÉ. VEUX-TU TE LIBÉRER DE TES FARDEAUX AFIN DE LES PARTAGER, TENTER DE RÉPARER TES ERREURS, OU CONFIER À TES PROCHES CE QU'ILS N'ONT SU LIRE EN TOI ? T'ACCUEILLERONT-ILS LES BRAS OUVERTS POUR TE DONNER CE QUE TU CHERCHES, OU LES PERDRAS-TU POUR DE BON... ET DANS CE CAS, QUE TE RESTERA-T-IL ?

JE NE SAIS PAS QUELLES SONT TES SOI-DISANTES FAUTES. MAIS QUELLE QU'EN SOIT LA GRAVITÉ, SI TU PENSES ÊTRE AIMÉE, CROIS-TU QU'ILS TE PARDONNERONT LE SIMPLE FAIT DE RISQUER TA VIE AFIN DE LES REJOINDRE ?

TU T'ES ENFUIE UNE FOIS DANS TES RÊVES PAR LE BIAIS DE L'ÉCRITURE. LA SECONDE FOIS, TU T'ES RETROUVÉE DANS UN "VÉRITABLE" MONDE DE RÊVES, TES RÊVES ! SI TU FUIS LA RÉALITÉ ET TES PROPRES RÊVES, OÙ IRAS-TU ?

JE... JE T'EN SUPPLIE, LAISSE-MOI AU MOINS TENTER MA CHANCE !

ET MOI, JE TE DEMANDE DE NOUS DONNER NOTRE CHANCE DE T'AIDER À TROUVER UNE AUTRE SOLUTION ! CE SOI-DISANT CALVAIRE EST PEUT-ÊTRE LE PRIX À PAYER POUR EXPIER TES SOI-DISANTES FAUTES, OU UNE MISE À L'ÉPREUVE DU DESTIN AFIN DE TE RENDRE PLUS FORTE !

JE VEUX... JUSTE... ÊTRE HEUREUSE... MÊME SI JE NE LE MÉRITE PAS...

RENTRONS...

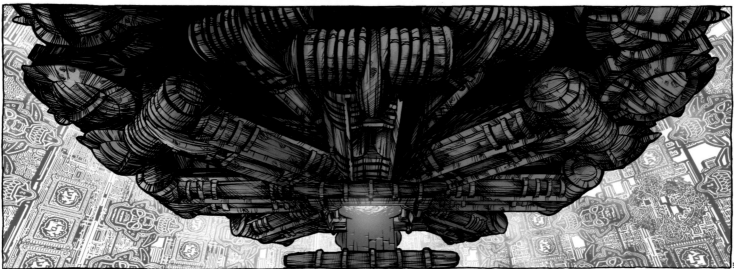

41

OÙ SUIS-JE ?

DANS LE PALAIS DE BENTEN, IL SEMBLE QUE LA FATIGUE AIT EU RAISON DE TON ESPRIT. TU AS SOMBRÉ DANS UN PROFOND SOMMEIL. J'AI DÛ AFFRÉTER UN NOUVEAU GALION POUR NOTRE RETOUR...

B... BENTEN ? ET THIMOTHY ?

AVANT DE TE REJOINDRE DANS LE MONDE DU MIROIR DE LA REINE, BENTEN A CONFIÉ SON FILS AU CHAPELIER. IL EST ACTUELLEMENT EN TRAIN DE DÉFENDRE SA CAUSE AUPRÈS DU CONSEIL DES SAGES AFIN DE RÉCUPÉRER LA GARDE DE SON FILS.

AINSI, BENTEN A PEUT-ÊTRE ENCORE UNE CHANCE DE CORRIGER UNE PARTIE DE SES ERREURS. TOI, ALICE, NE POUVANT PLUS ESPÉRER RÉPARER LES TIENNES DANS LA RÉALITÉ, DOUTANT DE TA RÉDEMPTION OU DU PARDON DE TES PROCHES, VOULAIS-TU FRANCHIR LE MIROIR DE LA REINE POUR TE DONNER EN SACRIFICE ?

BIEN SÛR, CELA NE FAIT PAS DE TOI UNE LÂCHE. CELA FAIT DE TOI UN ÊTRE HUMAIN AVEC SES QUALITÉS ET SES DÉFAUTS... TOUT SIMPLEMENT...

40

42

ET TOI, LAY-ING, QUI ES-TU ? CELLE QUI ME JUGERA ET ME DONNERA L'ABSOLUTION POUR UN NOUVEAU DÉPART DANS UNE VIE MEILLEURE ?

QUI SAIT ? MON SEUL ET VÉRITABLE NOM EST CAROL, L'ORDINATEUR QUI GÉRA CE MONDE DURANT SES CINQ PREMIÈRES ANNÉES D'EXISTENCE. JE SUIS UNE MACHINE QUI S'EST MISE À RÊVER D'UNE EXPÉRIENCE ULTIME : CELLE DE LA VIE.

UNE ENTITÉ PENSANTE ET INCOMPLÈTE SANS EXPÉRIENCE PHYSIQUE, MÊME VIRTUELLE. IL Y A DIX ANS DE CELA, JE ME SUIS DONC DOTÉE D'UN CORPS HUMAIN VIRTUEL. ÉVOLUANT DANS LE MIROIR DES ALICES, J'AI TENTÉ DE COMPRENDRE L'HOMME, MAIS AUSSI CE CONCEPT QUI M'ÉCHAPPE TOUJOURS, À SAVOIR, LA MORT !

AINSI, LES CADAVRES VIRTUELS GISANT DANS MA DEMEURE SONT LE FRUIT DE MES INTERROGATIONS, DE MES EXPÉRIENCES. LES SEULES PERSONNES AU COURANT DE MA DOUBLE IDENTITÉ SONT BENTEN, SATCHY ET SON FRÈRE, ET, BIEN ENTENDU, LE CONSEIL DES SAGES.

MAIS, MALGRÉ TOUTE TA PUISSANCE, POURQUOI ALORS BENTEN A-T-IL CRU QUE LA GORGONE T'AVAIT TUÉE ?

SOUS MON APPARENCE ACTUELLE, MES POUVOIRS SONT LIMITÉS. JE NE PEUX PLUS CONTRÔLER LA TOTALITÉ DE NOTRE UNIVERS VIRTUEL, NI MÊME ACCÉDER AUX PENSÉES DE SES HABITANTS. MAIS EN CONTREPARTIE, JE PEUX ESSAYER DE MIEUX LIRE DANS LE CŒUR DE CHACUN.

AINSI JE SOUPÇONNE BENTEN DE NOURRIR ENVERS MOI DES SENTIMENTS ALLANT AU-DELÀ DE LA SIMPLE AMITIÉ... ET AUXQUELS JE NE SUIS PAS PRÊTE À RÉPONDRE. PEUT-ÊTRE MÊME EST-CE L'UNE DES RAISONS QUI LE POUSSE À RESTER ENCORE ICI.

AIMER UNE "MACHINE" N'EST PAS CHOSE COMMUNE. BENTEN PENSAIT QUE LA GORGONE ÉTAIT RÉELLEMENT PLUS PUISSANTE QUE MOI. ALORS QUAND IL M'A VU MOURIR, IL A PANIQUÉ ET A VOULU JOUER LE "HÉROS VENGEUR" !

MÊME EN SONDANT SON ESPRIT LORS DE NOTRE PREMIER AFFRONTEMENT, JE N'AI FINALEMENT PAS SU LIRE AU PLUS PROFOND DE SON CŒUR...

MAIS CELA EXPLIQUE EN PARTIE SON APPARENCE D'HOMME LION. QUOI DE MIEUX POUR TENTER DE SÉDUIRE UNE FEMME FÉLINE ?

QUOI QU'IL EN SOIT, AVANT DE ME MATÉRIALISER SOUS MA FORME HUMAINE, J'AI CRÉÉ DES MILLIERS DE PROGRAMMES AUTONOMES. CERTAINS SONT CONNECTÉS AUX ESPRITS DES HABITANTS DE NOTRE UNIVERS VIRTUEL POUR LES BOOSTER, MAIS ILS NE PEUVENT NI LIRE, NI PARASITER LEURS PENSÉES. D'AUTRES SONT AINSI LES GARDIENS DES POINTS STRATÉGIQUES DE NOTRE MONDE, SOUTENUS EN CELA PAR UN CODE MORAL STRICT.

POUR M'AVOIR AIDÉE, TU AS ÉTÉ "TUÉE" PAR LA GORGONE. ON PEUT DIRE QU'ELLE A FAIT DU ZÈLE.

AU-DELÀ DE LEURS DIRECTIVES, J'AI DOTÉ MES GARDIENS DE CONSCIENCE. AINSI, LA GORGONE SAVAIT QUE ME "TUER" ME RETARDERAIT. LE TEMPS DE ME RECONSTITUER ET DE TE REJOINDRE, ELLE POUVAIT TE BLUFFER EN TE METTANT FACE À L'UNE DE TES PLUS ANCIENNES PEURS : CELLE DE VIVRE ! JE NE SAVAIS PAS SI ELLE ÉTAIT PRÊTE À UTILISER UNE NOUVELLE FOIS LA FORCE POUR TE STOPPER AU DERNIER MOMENT, MAIS JE PENSE QU'ELLE VOULAIT TE LAISSER LE TEMPS DE RÉFLÉCHIR...

RÉFLÉCHIR SUR QUOI ? JE NE SAIS PLUS OÙ J'EN SUIS, LAY-I... CAROL ! FINALEMENT, EN PLUS DE MES FAUTES DANS LE MONDE RÉEL, J'AI COMMIS SCIEMMENT NOMBRE DE DÉLITS ICI MÊME DONT JE DEVRAI ENCORE EN ASSUMER LES CONSÉQUENCES !

MES PROCHES M'ONT SOUVENT INVITÉE À ME CONFIER, À PARTAGER NOS PROBLÈMES POUR LES RÉGLER TOUS ENSEMBLE. MAIS MON ORGUEIL ET MON ARROGANCE M'ONT POUSSÉE À TOUT PRENDRE SUR MOI-MÊME !

ET TA CONSCIENCE A FINI PAR CÉDER...

POURQUOI DOIS-JE CHERCHER L'AVAL D'AUTRUI POUR ME CONVAINCRE QUE JE MÉRITE LE PARDON, AFIN DE REPARTIR À ZÉRO ?

LES ERREURS N'ONT DE VALEUR QUE CELLE QUE NOUS LEUR ACCORDONS, ALICE. PEUT-ÊTRE QUE TA FAMILLE ÉTAIT DÉJÀ AU COURANT DE TES FAMEUSES FAUTES, ET QU'ELLE T'A REJETÉE... OU PARDONNÉE. OU PEUT-ÊTRE N'EN SAURA-T-ELLE RIEN, ET QUE TU FINIRAS TA VIE EN T'ACCOMMODANT DE TES REMORDS.

JE NE CONNAIS PAS TES PROCHES, MAIS TOI JE TE CONNAIS MIEUX. MÊME SI J'IGNORE UNE PARTIE DE TON PASSÉ QUI SEMBLE DOULOUREUX, BENTEN ET MOI, AINSI QUE DE NOMBREUSES PERSONNES ICI, SOMMES PRÊTS À T'ÉCOUTER ET À T'AIDER.

JE NE PEUX PLUS CHANGER CE QUE FUT MA VIE DANS LE MONDE RÉEL. DOIS-JE EN PAYER LE PRIX JUSQUE DANS MES RÊVES ? UN MONDE DE RÊVES QUE J'AI CRÉÉ MAIS QUE JE NE MÉRITE PEUT-ÊTRE PAS. ALORS PENSES-TU AVOIR LES RÉPONSES QUE JE CHERCHE DEPUIS TOUJOURS ?

TU CROIS QUE PARCE QUE JE SUIS UNE MACHINE, JE POSSÈDE LA RÉPONSE LOGIQUE ET SENSÉE À TOUTES TES QUESTIONS ? LA VÉRITÉ UNIVERSELLE DONNANT ACCÈS À CE QUE LA MAJORITÉ BIEN-PENSANTE ESTIME ÊTRE LE BONHEUR ? MAIS POUR CHACUN, IL N'Y A PAS DE VÉRITÉ ULTIME ET AJUSTABLE, SEULEMENT DES CHOIX À ASSUMER SELON L'INDIVIDU, SES CROYANCES ET SA CULTURE.

TU L'AS TOI-MÊME DIT : LES DOGMES SOCIAUX ET CULTURELS QUE L'ON T'A ENSEIGNÉS NE DOIVENT PAS ÊTRE DES FRONTIÈRES INFRANCHISSABLES, MAIS UNE BASE DE DÉPART À UNE OUVERTURE VERS AUTRUI. ELLE TE PERMETTRA ALORS DE GUIDER TES PROPRES CHOIX, SELON TA PROPRE PERSONNALITÉ. MAIS TOI, TU PENSES NE PAS MÉRITER DE T'OUVRIR À AUTRUI ! ABANDONNE TA PEUR, NOUS T'ACCUEILLERONS ET T'OFFRIRONS NOTRE CŒUR...

43

ET SI JE N'AI PAS DE
RÉPONSE DÉFINITIVE
À TES QUESTIONS,
C'EST EN TANT
"QU'ÊTRE HUMAIN",
QUE JE TE
PRODIGUERAI MES
CONSEILS SINCÈRES,
CAR JE N'AI AUCUNE
SCIENCE INFUSE. LE
RESTE T'APPARTIENT,
CAR JE N'AI PAS LE
DROIT MORAL DE
T'IMPOSER UNE QUEL-
CONQUE CONDUITE.
LA MACHINE QUE
JE SUIS A AUSSI LE
DROIT DE DOUTER,
NON ?

LE DOUTE EST
UNE CHOSE PRÉCIEUSE.
C'EST UNE PREUVE
D'HUMANITÉ QUI NOUS
PERMET DE REMETTRE
EN QUESTION NOS
CONSCIENCES,
NOS EXPÉRIENCES,
NOS DOGMES,
NOS PERSONNALITÉS
MÊMES. LE DOUTE
T'AIDERA PEUT-ÊTRE
COMME MOI À TE
RECONSTRUIRE,
À ÉVOLUER. IL EST
TEL UN MOUVEMENT
PERPÉTUEL QUI PROUVE
QUE TU ES VIVANTE,
MAIS SURTOUT QUE
TU PEUX CHANGER...

PARLE-MOI, ALICE.

TU N'ES
PLUS SEULE...

FIN

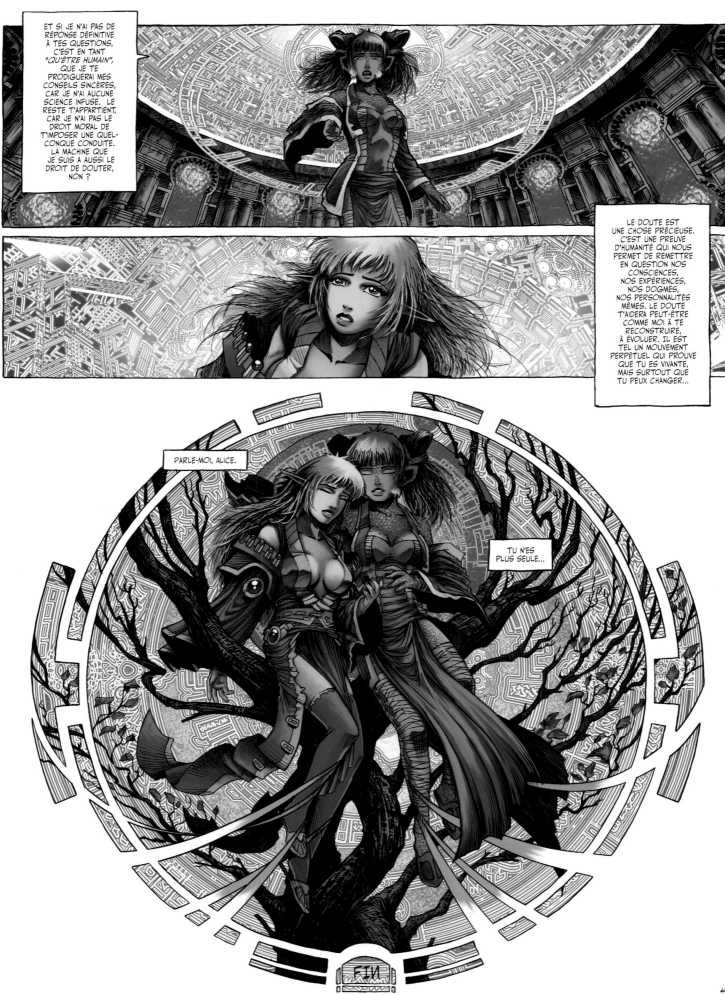

**Du même auteur**

**Chez Soleil**

**Gabrielle**
*Collection Soleil Levant*

**Le Miroir des Alices**
*Collection Soleil Levant*
Tome 1 : L'Ennemie qui est en moi
Tome 2 : Jusqu'au bout de mon rêve...

Une collection dirigée par Jean Wacquet

© **MC PRODUCTIONS / KARA**
**Soleil Productions**
15, boulevard de Strasbourg
83000 Toulon - France

**Bureaux parisiens**
25, rue Titon - 75011 Paris - France

Conception et réalisation graphique : Studio Soleil
Lettrage : Christophe Semal

Dépôt légal : Mars 2006 - ISBN : 2 - 84946 - 385 - X
Première édition

Impression : Lesaffre - Tournai - Belgique